# 花さかじい

ぶん◎おざわとしお・なかむらともこ　え◎ふくだいわお

むかし、
子《こ》どものないじいとばあがありました。
ある日《ひ》、じいが、
神《かみ》さまに子《こ》どもをおねがいしようと
でかけました。

とちゅうの松原《まつばら》に白《しろ》い子犬《こいぬ》がいて、
「じい、どこへいく」といいました。
「神《かみ》さまに子《こ》どもを
おねがいしにいくところだ」
「それなら、おれを子《こ》どもにしてくれ」
じいは子犬《こいぬ》をつれてうちへかえりました。
じいとばあは、さかなをにて、
身《み》は子犬《こいぬ》に食《た》べさせ、
じぶんたちはほねをしゃぶって、
かわいがってそだてました。

ある日《ひ》、じいは犬《いぬ》をつれて
山《やま》へいきました。
すると、犬《いぬ》がすそをひっぱって、

ここほれ、わんわん
ここほれ、わんわん

というので、ほってみると、
小判《こばん》がいっぱいでてきました。
じいは小判《こばん》をかごに入《い》れてうちへ
もってかえり、むしろの上《うえ》に
ならべておきました。

そこへ、となりのばあが
火《ひ》だねをもらいにやってきました。
小判《こばん》を見《み》ると、
「こんなにお金《かね》があるのは
どうしたわけじゃ」とききました。
「じいが犬《いぬ》をつれて山《やま》へいったらな、
犬《いぬ》が、ここほれ、わんわん、というので、
ほったら小判《こばん》がでた」
と、ばあがこたえました。

となりのばあはうちへかえると、
「となりではな、
じいが犬《いぬ》をひろってきて金《かね》もうけするが、
うちのじいはなにもしないで、
ぶらぶらしているだけじゃ」
といいました。
すると、じいは、
「それなら、おれも金《かね》もうけするから、
犬《いぬ》をかりてこい」といいました。

そこで、ばあは犬《いぬ》をかりにいきました。

「これはうちのだいじな犬《いぬ》だからかせない」

というのを、むりやりつれてかえりました。

そして、じいとばあはさかなの身《み》を食《た》べ、
犬《いぬ》にはほねを食《た》べさせました。

あくる日《ひ》、となりのじいは
犬《いぬ》をつれて山《やま》へいきました。
けれども、犬《いぬ》は、
「ここほれ、わんわん」といいません。
じいが、
「ここいらをほってみるかな」というと、
犬《いぬ》は、
「ほりたきゃほれ、
ほりたくなけりゃほるな」といいました。
ほってみると、われたちゃわんだの、
牛《うし》のくそだのがいっぱいでてきたので、
となりのじいはおこって、
犬《いぬ》をころしてしまいました。

いつまでたっても
犬《いぬ》をかえしにこないので、
じいはとなりへいって、
「犬《いぬ》をかえしてくれ」
といいました。
「おまえの犬《いぬ》をつれて山《やま》へいったら、
われたちゃわんだの、牛《うし》のくそだのが
でてきたので、ころしてしまった」

じいは、
「それでも犬《いぬ》をかえしてくれ」
といって、犬《いぬ》をだいてかえり、
ていねいに庭《にわ》にうめてやりました。
その上《うえ》に小《ちい》さい松《まつ》の木《き》をうえました。
すると、
松《まつ》はすぐに大《おお》きくなりました。
じいは、松《まつ》をきって臼《うす》をつくりました。
その臼《うす》でもちつきをすると、
ぽんとつくと、ぽんと小判《こばん》がでる、
ぽぽんのぽんとつくと、
ぽぽんのぽんと小判《こばん》がでてきました。

その小判《こばん》をむしろの上《うえ》にならべていると、
となりのばあが火《ひ》だねをもらいに
やってきました。
小判《こばん》を見《み》ると、
「こんなにお金《かね》があるのは
どうしたわけじゃ」とききました。
「じいが、犬《いぬ》をうめたところに
松《まつ》をうえたらな、
すぐに大《おお》きな木《き》になって、
その木《き》で臼《うす》をつくってもちをついたら、
小判《こばん》がでた」と、ばあがこたえました。

となりのばあは、うちへかえると、
「となりではな、じいが臼《うす》でもちをついて
金《かね》もうけするが、うちのじいは
なにもしないでぶらぶらしている
だけじゃ」といいました。
すると、じいは、
「それなら、おれも金《かね》もうけするから、
臼《うす》をかりてこい」といいました。
そこで、ばあが臼《うす》をむりやりかりてきて、
じいとばあはもちつきをしました。
けれども、
もちはみんなすなになってしまうので、
おこって、臼《うす》をもやしてしまいました。

いつまでたっても臼《うす》をかえしにこないので、じいはとなりへいって、
「臼《うす》をかえしてくれ」といいました。
「もちをついたらみんなすなになるので、もやしてしまった」
じいは、
「それなら、灰《はい》をかえしてくれ」
といって、灰《はい》をもらってきました。
そこへ風《かぜ》がふいてきて、
灰《はい》がまいあがり、
あたりのかれ木《き》にふりかかりました。
すると、
まんまんと桜《さくら》の花《はな》がさきました。

じいは、これはおもしろいとおもって、
町《まち》へでかけ、
「花《はな》さかじい、花《はな》さかじい、
かれ木《き》に花《はな》をさかせましょう」
とふれあるきました。
ちょうど、とのさまがとおりかかって、
「城《しろ》の庭《にわ》に三年《さんねん》も花《はな》のさかない木《き》がある。
これをさかせてみよ」といいました。
じいがお城《しろ》へいって灰《はい》をまくと、
まんまんと桜《さくら》の花《はな》がさきました。
じいはとのさまから
どっさり小判《こばん》をもらって
うちへかえりました。

じいとばあが小判《こばん》を
むしろの上《うえ》にならべていると、
となりのばあが火《ひ》だねをもらいに
やってきました。
小判《こばん》を見ると、
「こんなにお金《かね》があるのは
どうしたわけじゃ」とききました。
「もやした臼《うす》の灰《はい》をじいがまいたらな、
かれ木《き》に花《はな》がさいて、
とのさまがほうびをくれた」
と、ばあがこたえました。

となりのばあは、うちへかえると、
「となりではな、
じいが灰《はい》をまいて金《かね》もうけするが、
うちのじいはなにもしないで
ぶらぶらしているだけじゃ」
といいました。
すると、じいは、
「それなら、おれも金《かね》もうけする」
といって、
かまどの下《した》にのこっていた灰《はい》を
かきあつめてでかけました。

そして、お城《しろ》のそばへいって、
「花《はな》さかじい、花《はな》さかじい、
かれ木《き》に花《はな》をさかせましょう」
と、大声《おおごえ》をだしました。
すると、とのさまは、
「きのうのじいがきたな」といって、
庭《にわ》へ入《い》れてやりました。
じいが灰《はい》をまくと、
花《はな》はひとつもさかないで、
とのさまの目《め》や鼻《はな》に入《はい》ってしまいました。

とのさまは、
「これはきのうのじいではない。
にせものだ」
と、たいそうおこって、
となりのじいをさんざんにたたいて、
おいだしたということです。

そうらいめったり　貝《かい》のくそ

この昔ばなしは、「花咲爺」(『昔話研究(復刻版)』岩崎美術社　収載)をもとに再話しました。

子どもとよむ日本の昔ばなし③

# 花さかじい

2005年11月11日　初版第1刷発行

文◎小澤俊夫 / 中村とも子
絵◎福田岩緒
装丁◎藤田知子
発行人◎土開章一
発行所◎くもん出版
〒102-8180 東京都千代田区五番町3-1　五番町グランドビル
電話03-3234-4001(代表)03-3234-4064(編集部)03-3234-4004(営業部)
http://www.kumonshuppan.com/
印刷所◎図書印刷株式会社

NDC913・くもん出版・48P・15cm・2005年
ISBN4-7743-1093-X



**おざわとしお**
中国長春生まれ。小澤昔ばなし研究所所長、昔ばなし大学主宰。ドイツ文学者、筑波大学名誉教授。主な著書:『昔話の語法』『日本の昔話全5巻』(福音館書店)『グリム童話の誕生』(朝日新聞社)『働くお父さんの昔話入門』(日本経済新聞社)他多数。

**なかむらともこ**(文)
北海道生まれ。昔話研究者。日本口承文芸学会理事、小澤昔ばなし研究所所員、昔話研究土曜会会員。著書に『雪の夜に語り継ぐ』(福音館書店)、『耳は何のためにあるか』(共著・風人社)、論文『昔話狐女房とは何か』(昔話研究土曜会)他。

**ふくだいわお**(絵)
岡山県生まれ。日本児童出版美術家連盟会員。『がたたんたん』(ひさかたチャイルド)で絵本にっぽん賞受賞。絵本に『おならばんざい』『おとうさんのいなか』(ポプラ社)、『さあちゃんのぶどう』(くもん出版)、挿し絵に『夏の終わりのきもだめし』(新日本出版社)、『少年の海』(文研出版)などがある。